Ysgol Gynradd
Llanddona
Sir Fôn

Go Fflamia!

Iola Jôns

Hawlfraint y testun ⓗ Iola Jôns 1998 ©

Hawlfraint y lluniau ⓗ Siôn Morris 1998 ©

ISBN 1 85902 677 X

Argraffiad cyntaf—1998
Ail argraffiad—2000

Mae Iola Jôns wedi datgan ei hawl
dan Ddeddf Hawlfraint, Dyluniadau a Phatentau 1988
i gael ei chydnabod fel awdur y llyfr hwn.

I Ilan a Lliwen

Cedwir pob hawl. Ni chaniateir atgynhyrchu unrhyw ran o'r cyhoeddiad hwn na'i gadw mewn cyfundrefn adferadwy na'i drosglwyddo mewn unrhyw ddull na thrwy unrhyw gyfrwng, electronig, electrostatig, tâp magnetig, mecanyddol, ffotogopïo, recordio, nac fel arall, heb ganiatâd ymlaen llaw gan y cyhoeddwyr, Gwasg Gomer, Llandysul, Ceredigion.

Cyhoeddwyd dan gynllun comisiynu
Cyngor Llyfrau Cymru.

Dymuna'r cyhoeddwyr gydnabod cymorth
Adrannau Cyngor Llyfrau Cymru.

Panel golygyddol: Mair Evans
Hefin Jones

Argraffwyd gan
Wasg Gomer, Llandysul, Ceredigion SA44 4QL

‘Tân, tân!’ gwaeddai mam Gwenno nerth ei phen arnyn nhw. Rhedodd Gwenno a’i thad a Lowri â’u gwynt yn eu dwrn. Roedd y sièd bren yn yr ardd yn wenfflam. Dawnsiai’r fflamau a sbonciai’r gwreichion o’r to. Cariai tad Gwenno fwcedi o ddŵr yn ôl a ’mlaen o’r tŷ, gan besychu a cholli’i wynt am yn ail.

Roedd ôl panig ar ei wyneb—roedd ei weithdy ar dân ac nid oedd yn gallu rhedeg yn ddigon cyflym yn ôl a ’mlaen gyda’r bwcedi o ddŵr i ddiffodd y tân.

‘Byddwch yn ofalus, Dad! Peidiwch â mynd yn rhy agos rhag ofn i chi losgi!’ sgrechiodd Gwenno, gan geisio’i helpu i lenwi bwcedi o ddŵr. Roedd Lowri—ei ffrind gorau—yn gwylio’r cyfan o ffenest y lolfa. Roedd ganddi ofn tân.

‘Mi fydd y frigâd dân yma mewn munud,’ meddai mam Gwenno. ‘Gad i mi dy helpu di efo’r bwcedi o ddŵr ’na, Bob.’ Gafaelodd mewn bwced, rhedeg at y sièd a lluchio’r dŵr dros y fflamau.

Synnodd tad Gwenno fod ei wraig yn gallu rhedeg yn gyflymach nag o wrth gario’r bwcedi trwm o ddŵr. Yna cyrhaeddodd y frigâd dân, a dechreuodd y dynion fwrw ati ar unwaith i geisio dofi a diffodd y fflamau. Safodd Gwenno efo’i rhieni, yn edrych yn drist ar y sièd yn llosgi’n ulw o flaen eu llygaid. Ni fedrai’r dynion tân wneud dim i’w hachub.

‘Ma’r cyfan wedi mynd, a finna bron â’i orffen o,’ ochneidiodd tad Gwenno’n siomedig a thrist.

‘Gorffen be?’ holodd Gwenno’n fusneslyd.

‘Dodrefnyn arbennig iawn—rhywbeth ro’n i wedi bod yn gweithio arno fo ers hydoedd, ac ro'n i bron â'i orffen o—wedi mynd . . . y cyfan wedi mynd,' meddai'n drist.

Ymhen hir a hwyr, roedd y fflamau wedi'u diffodd, a'r sièd yn ddim ond sgerbwd du yn mygu'n dawel.

'Oes gynnoch chi ryw syniad sut digwyddodd hyn?' gofynnodd y Swyddog Tân.

Edrychodd pawb ar ei gilydd am funud, yna adroddodd Gwenno a'i thad y stori i gyd.

1

Roedd Gwenno wedi bod yn teimlo'n ddiflas a thrist ers amser. Y rheswm am hynny oedd ei bod hi wedi cael llond bol ar ei thad yn 'smygu o hyd. Arferai tad Gwenno chwarae pêl-droed efo hi yn yr

ardd erstalwm . . . a mynd â hi a'i ffrind Lowri am dro hir drwy'r goedwig gyfagos. Doedd bywyd ddim yn ddiflas bryd hynny.

Ond rŵan, doedd o'n gwneud dim ond 'smygu, gwylio'r teledu neu weithio ar ryw ddodrefnyn yn y sièd yn yr ardd.

Doedd o ddim yn gallu chwarae pêl-droed efo Gwenno bellach gan ei fod yn mynd yn fyr ei wynt. Doedd o ddim yn gallu mynd â hi am dro i'r goedwig 'chwaith gan ei fod yn pesychu o hyd.

Roedd Gwenno'n drist—yn drist iawn.

Roedd mam Gwenno'n falch iawn o'i chartref ac yn gweithio'n galed i'w gadw'n lân ac yn daclus. Edrychai fel pìn mewn papur bob amser.

Roedd hi'n gorfod glanhau ar ôl tad Gwenno o hyd, yn gwagio'r blychau llwch . . . yn hwfro'r tŷ . . . yn tynnu llwch . . . yn chwistrellu 'ogla da' ar hyd pob stafell i gael gwared o'r arogl mwg sigarennau . . . ac ailbeintio'r waliau a'r nenfwd melyn yn wyn bob gwanwyn. Er hynny, roedd pobman yn drewi o fwg, ac roedd hyd yn oed eu dillad a'u gwalltiau'n drewi.

Roedd plant yn yr ysgol wedi dechrau galw enwau ar Gwenno.

'Gwenno pongo'n drewi o dybaco!'

Gwylltiai hynny hi'n ofnadwy!

Roedd Gwenno wedi cael llond bol ar bawb a phopeth! Penderfynodd ei bod am berswadio'i thad i roi'r gorau i 'smygu unwaith ac am byth.

'Ond sut wyt ti'n mynd i 'neud hynny?' gofynnodd Lowri, ei ffrind gorau.

'Dwi'n mynd i luchio'i bacedi sigarennau o i *gyd* i'r tân mewn protest!' atebodd Gwenno'n benderfynol.

'Fasat ti ddim yn meiddio gwneud peth fel 'na!' heriodd Lowri.

'O baswn, gei di weld. Dwi wedi cael hen ddigon ar ei hen fwg a'i lwch o!' atebodd Gwenno'n ddig.

Y noson honno, fe estynnodd Gwenno gadair a chamu arni'n gadarn cyn ymestyn ei holl gorff i gyrraedd sigarennau ei thad ar silff uchaf y cwpwrdd yn y gegin. Taflodd nhw i'r llawr mewn tymer cyn eu codi eto a'u cario yn ei chôl. Brasgamodd i mewn i'r lolfa, lle roedd ei rhieni'n eistedd, a lluchio'r pentwr pacedi'n bendramwnwgl i mewn i'r tân.

Syllodd pawb yn syn ar y pacedi'n llosgi a'r fflamau'n dawnsio yn y grât.

'Dwi am i chi roi'r gorau i 'smygu o heno ymlaen!' gorchmynnodd Gwenno.

Edrychodd ei thad arni am eiliad, yn geg-agored. Yna ffrwydrodd, gan weiddi: 'Oes gen ti syniad faint ydi gwerth yr holl bacedi sigarennau 'na?'

'Oes,' atebodd Gwenno'n haerllug, 'digon i chi brynu desg a chyfrifiadur i mi!'

'Ond does gan ferch wyth oed ddim angen desg a chyfrifiadur—mae gen ti fwrdd yn y gegin a digon o feiros a phensiliau i gadw siop!' arthiodd ei thad arni.

'Dwi'n wyth a thri chwarter, diolch yn fawr iawn!' cywirodd Gwenno ei thad, 'A dydach chitha ddim angen smygu chwaith, tasa hi'n mynd i hynny!' meddai Gwenno wrtho'n blwmp ac yn blaen.

'Rŵan, rŵan,' meddai mam Gwenno'n bwyllog—hi fyddai wastad yn tawelu'r dyfroedd pan fyddai yna ffrae'n codi. 'Gwenno, dwi wedi pregethu wrthot ti am beidio â chwarae efo tân, yn do. Roedd hynna'n beth peryglus iawn i'w wneud—mi all'set ti fod wedi llosgi'n arw. Ond wedi deud hynny, mae gen ti bwynt. Mi fydde cryn dipyn mwy o arian yn ein pocedi ni taset ti'n rhoi'r gorau i 'smygu,

Bob, ac mi fydde 'na dipyn llai o waith cadw'r tŷ 'ma'n lân hefyd.'

'Ond Ann,' meddai tad Gwenno wrth ei wraig mewn syndod, 'dwyt ti ddim wedi crybwyll y peth erioed o'r blaen. Ro'n i'n meddwl nad oedd ots gen ti 'mod i'n 'smygu.'

'Wel mi rydw *i'n* malio,' stranciodd Gwenno. 'Dwi wedi cael llond bol ar bawb yn yr ysgol yn fy ngalw i'n "Gwenno pongo'n drewi o dybaco!" a does 'na neb yn y tŷ 'ma byth yn mynd â fi am dro i'r goedwig nac yn chwara efo fi yn yr ardd!'

Ac i ffwrdd â Gwenno i lyncu mul yn ei llofft, a'r dagrau'n cronni yn ei llygaid.

2

Yn hwyrach y noson honno, tarodd ei thad ei big i mewn i'w llofft i ddweud 'Nos da' wrthi, fel arfer.

'Da-ad,' meddai Gwenno mewn llais pwdlyd, 'dwi ddim isio i chi farw'n ifanc, Dad.'

'Wna i ddim, siŵr,' meddai ei thad yn gysurus gan ddod i eistedd ar ei gwely.

'Gnewch mi newch chi . . . os cariwch chi . . . 'mlaen i 'smygu,' meddai Gwenno rhwng ei dagrau a oedd yn llifo fel dwy afon fach i lawr ei bochau erbyn hyn.

'Rŵan, rŵan, Gwenno fach, paid â chrio, mi fydda i'n dal yma yn y bora, 'sdi. Be sy wedi codi'r chwilen 'ma yn dy ben di, heno o bob noson?'

'Mi fuodd tad Tomos farw ddoe . . . ac mi roedd o'n 'smygu,' atebodd Gwenno, cyn dechrau beichio crio ar ysgwydd ei thad.

'Wel, mi roedd dy hen-daid yn 'smygu hefyd, ac mi fu o'n fyw nes oedd o'n naw deg oed!' ceisiodd ei thad ei chysuro eto.

‘Mi roedd o’n lwcus ’ta’n doedd,’ oedd ateb dagreuol Gwenno.

‘Gwranda, Gwenno, mi geisia i ’smygu llai, reit. Ydi hynna’n gneud i ti deimlo’n well?’

‘Dipyn bach . . . ond ydach chi’n addo rhoi’r gora i ’smygu’n gyfan gwbl yn fuan?’ gofynnodd Gwenno, gan edrych ym myw llygaid ei thad efo’i llygaid mawr, brown.

‘Ydw, ydw, rŵan dos i gysgu,’ meddai ei thad.

‘Cris croes tân poeth . . ?’ ychwanegodd Gwenno.

‘Cris croes ydw, unrhyw beth. Rŵan ’ta dos i gysgu, mae’n hwyr.’ Rhoddodd ei thad gusan ar ei thalcen a cherdded at ddrws ei llofft.

‘Da-ad?’

‘Ia?’

‘Torri pen a thorri coes?’ gofynnodd Gwenno.

‘Ia, iawn.’

‘Dudwch o i gyd.’

Ochneidiodd tad Gwenno, ‘Cris croes tân poeth, torri pen a thorri coes.’

'Ac mi rydach chi'n addo . . .'

'Ydw, Gwenno,' torrodd ei thad ar ei thraws. 'Dwi'n addo.'

'Da-ad . . .'

'Esgob! Be rŵan 'to?'

'Nos da.'

'Nos da, cariad bach.'

Fel roedd tad Gwenno'n cerdded allan o'i llofft, daeth ei mam i mewn.

'Ydach chi'ch dau'n ffrindia erbyn hyn?' gofynnodd yn addfwyn.

'Ydan,' meddai'r ddau fel deuawd. Yna aeth tad Gwenno allan o'r llofft, gan adael y ddwy.

'Rŵan ta Gwenno, rhaid i ti beidio ffraeo dy dad am ei fod o'n 'smygu, w'st ti. Mi allasai fod yn llawer gwaeth—tydi o ddim yn mynd allan i hel diod na dim byd felly, yn nach'di, ac mae o wastad yn glên ac yn chwarae efo chdi, ac yn mynd â chdi am dro a ballu. 'Smygu ydi'r unig gysur bach mae o'n ei gael yn yr hen fyd 'ma!'

'Ond dydi o *ddim* wedi mynd â fi am dro ers misoedd rŵan, Mam,' protestiodd Gwenno eto.

'Wel nach'di, ddim yn ddiweddar, efallai;

mae o wedi bod yn brysur iawn yn ei waith ac mae o'n gweithio ar ddodrefnyn arbennig yn ei weithdy ar y funud hefyd.'

'A dyna i chi beth arall, os nad ydi o'n gweithio neu'n 'smygu o flaen y teledu, mae o'n ffidlan yn yr hen sièd ddrewllyd

yna . . .' dechreuodd Gwenno godi ei chloch.

'Dyna ddigon,' torrodd ei mam ar ei thraws. 'Mae'n hen bryd i ti fynd i gysgu rŵan, neu mi fyddi di'n hwyr yn codi i fynd i'r ysgol fory. Setla i lawr, ac anghofia am yr holl fusnes 'smygu 'ma.'

Rhoddodd ei mam gusan ar dalcen Gwenno wrth ddweud, ‘Nos da, cariad.’

‘Nos da,’ atebodd Gwenno yn bwdlyd. Efallai ei bod hi a’i thad yn ffrindiau erbyn hyn, ond doedd Gwenno *ddim* yn mynd i roi’r gorau i’w hymgyrch i gael ei thad i roi’r gorau i ’smygu, nac oedd hi wir! Dim ond y dechrau oedd hyn.

3

'Wel, 'nest ti luchio sigarennau dy dad i'r tân neithiwr, 'ta?' oedd y peth cyntaf ofynnodd Lowri i Gwenno yn yr ysgol fore trannoeth.

'Wel do, siŵr iawn!' meddai Gwenno'n siarp, ac adroddodd y stori'n llawn wrth ei ffrind.

'Be wyt ti am neud nesa 'ta?' gofynnodd Lowri. 'Elli di ddim lluchio'i sigarennau o i'r tân bob nos, yn na fedri?'

'Dwi'n mynd i addurno'r tŷ efo posteri i atgoffa Dad ei fod o wedi addo 'smygu llai, ac mi rwyt ti'n mynd i fy helpu i bob amser cinio i neud rai—iawn?' meddai Gwenno'n llawn cyffro.

'Grêt, dwi wrth fy modd yn tynnu lluniau,' atebodd Lowri'n llawen.

Ar hyd yr wythnos honno, bu Gwenno a Lowri wrthi'n brysur bob munud sbâr oedd ganddyn nhw yn yr ysgol yn llunio posteri lliwgar yn erbyn 'smygu.

‘Ew, diolch i ti am fy helpu i neud y posteri ’ma, Lows,’ meddai Gwenno wrth Lowri, gan edrych yn llawn balchder ar y llwyth o bosteri oedd ganddi erbyn diwedd yr wythnos.

‘Croeso! Dwi wedi mwynhau eu gneud nhw—a beth bynnag, i be mae ffrindiau’n dda os na allwn ni helpu’n gilydd, yndê!’ meddai Lowri, gan deimlo’n falch ei bod

wedi plesio ei ffrind gorau. ‘Be wyt ti’n mynd i neud efo nhw rŵan, ’ta?’ gofynnodd yn chwilfrydig. Roedd paent coch yn stremp ar hyd ei boch.

‘Wel, eu gosod nhw ar wal bob stafell mae o’n ’smygu ynddi yn y tŷ, siŵr iawn.’

‘Heno ’ma wnei di hynny?’ gofynnodd Lowri.

‘Nage, bore fory. Pan fydd Dad wrthi’n ffidlan yn ei hen siècd, mi fydda i wrthi ffwl-sbîd yn plastro’r posteri ’ma ym mhobman. Mi geith o andros o sioc pan ddaw o i’r tŷ amser cinio a’u gweld nhw— o ceith!’ meddai Gwenno a’i llygaid yn pefrio.

Ond pwy oedd yn mynd i gael y sioc fwyaf, tybed?

4

Fore Sadwrn, roedd tad Gwenno'n loetran yn y tŷ, yn darllen y papur newydd am yn ail â gwylio'r teledu. Roedd Gwenno'n ysu am iddo fynd i'r sièd o'r ffordd er mwyn iddi gael plastro'i phosteri ar hyd y lle.

'Be dach chi'n neud yn y sièd y dyddia yma, Dad?' gofynnodd Gwenno gan smalio bod ganddi ddiddordeb yng ngwaith ei thad.

'O . . . ym . . . e . . . y . . . dim byd o ddiddordeb i chdi, cariad bach,' atebodd, gan geisio cuddio'r wên ar ei wyneb.

‘Ga i weld be dach chi’n neud rŵan, Dad?’ ychwanegodd Gwenno gan dynnu ym mraich ei thad.

‘O, ym, na, dydw i ddim wedi’i orffen o eto—dydi o’n edrych yn ddim byd ar y funud, dim ond rhyw gwpwrdd bach di-nod. Well i mi fynd i weithio ’chydig arno fo cyn cinio dwi’n meddwl,’ atebodd ei thad cyn codi o’i gadair yn sydyn a’i baglu hi allan am y sièd yn yr ardd.

Grêt, meddyliodd Gwenno, roedd ei chynlllun i gael ei thad allan o’r ffordd wedi gweithio. Roedd yn ddiogel iddi hi fynd ati i addurno’r tŷ efo’i phosteri rŵan, gan fod ei mam wedi picio allan i siopa.

Aeth i fyny’r grisiau a gosododd y poster efo’r slogan **‘Sws fwg—sws ddrwg!’** ar glustog ei thad ar y gwely, a phoster **‘Wyt ti eisiau cusanu blwch llwch?’** ar glustog ei mam. Gwenodd yn gyfrwys, ac i ffwrdd â hi i’r ystafell ymolchi.

Gosododd boster efo **‘Rhaid cael bàth bob dydd i gael y llwch yn rhydd’** ar y wal wrth ymyl y bàth.

Yna gosododd boster ar ddrws ei llofft ei hun, gyda llun ohoni hi’n edrych yn drist a

chylch o fwg o'i hamgylch gyda'r slogan **'Gwenno pongo'n drewi o dybaco'** oddi tano.

Cripiodd i lawr y grisiau yn ofalus â llond ei hafflau o bosteri a thâp gludiog. Glynodd boster **'Y 'Smygfa'** ar ddrws y lolfa. Roedd ei mam newydd beintio nenfwd y gegin yn wyn rai dyddiau ynghynt—roedd wedi melynu oherwydd mwg sigarennau ei thad—felly gosododd y poster **'Nid yw'n felyn heno, Mami'** ar y to.

Casglodd weddill y posteri at ei gilydd a cherddodd yn fân ac yn fuan am y tŷ bach y tu allan i ddrws cefn y tŷ. Yno roedd ei thad yn golchi ei ddwylo bob tro y byddai wedi bod yn gweithio yn y sièd.

Gosododd boster **'Rhowch gic yn nhin nicotîn!'** y tu ôl i'r drws, poster **'Mae'n well gen i ogla pi-pi na'ch sigaréts chi!'** uwchben y toiled, a phoster **'Sebon melyn i fysedd melyn'** uwchben y sinc.

Dyna ni, meddyliodd Gwenno, dwi'n credu fod y neges yn reit glir iddo fo rŵan! Yna aeth i nôl diod oer a phaced o greision o'r gegin a'u sglaffio yno. Esgob, roedd hi bron â llwgu ar ôl yr holl waith caled yna, wir! Y cyfan oedd angen ei wneud bellach oedd aros i'w thad ddod i mewn i'r tŷ amser cinio—a dyna beth fyddai hwyl!

Gwenodd Gwenno o glust i glust.

5

'Sh . . . sh!' meddai rhyw ddynes flin wrth Gwenno. Roedd pentwr o lyfrau wedi syrthio'n bendramwnwgl i'r llawr wrth i Gwenno ymlwybro'n igam-ogam at y bwrdd.

'Wps, sori,' sibrydodd Gwenno, gan gasglu'r llyfrau yn ôl at ei gilydd yn swnllyd.

'Distawrwydd!' meddai'r ddynes y tu ôl i'r ddesg eto.

'Sori,' sibrydodd Gwenno. Doedd Gwenno ddim wedi bod yn llyfrgell y dref ar ei phen ei hun o'r blaen, dim ond yn llyfrgell yr ysgol, ac roedd pawb yn cael siarad fel y mynnen nhw yno. Ew, roedd hi'n andros o beth peidio cael siarad am bron i awr gyfan!

Chwilio am lyfrau efo ffeithiau am effaith 'smygu ar y corff oedd Gwenno.

Do, fe ddaeth ei thad i'r tŷ y bore hwnnw ac fe wylltiodd yn gacwn wrth weld y posteri ar hyd y tŷ i gyd.

'Be sy haru chdi, hogan?' gwaeddodd.

‘Mae’n ddigon drwg ’mod i wedi taro ’mys efo morthwyl nes bod gwaed yn pistyllio i bob man yn y tŷ bach ’na, heb orfod edrych ar ryw hen bosteri gwirion hefyd.’

Edrychodd Gwenno’n ddifater ar ei law cyn dweud,

‘Hy, ma’n braf gweld ’ych bysedd chi’n goch yn lle melyn am unwaith!’

Wel, os do fe! Aeth ei thad yn hollol bananas wedyn—roedd yn dawnsio ac yn bytheirio, a’i law yn dal i waedu fel mochyn, pan ddaeth mam Gwenno yn ôl o’r siop.

‘Be goblyn sy ’di digwydd?’ gofynnodd yn llawn pryder.

‘B . . . b . . . b . . .’ cychwynnodd ei thad.

‘Paid â rhegi o flaen Gwenno, Bob,’ torrodd mam Gwenno ar ei draws yn siarp, felly fe aeth allan i’r ardd i regi cyn dod yn ei ôl ymhen sbel i ddweud ei gŵyn.

Chwarddodd mam Gwenno am ei ben. ‘Wel am olwg sy arnat ti, Bob bach! Dos i’r llofft i olchi’r gwaed ’na ac i newid dy ddillad, wir!’

Gwenodd Gwenno wrth aros am y ffrwydrad nesaf oedd yn sicr o ddigwydd pan welai ei thad y poster wrth ymyl y bàth. Ni chafodd ei siomi! Clywodd sŵn traed ei thad yn cerdded uwchben y gegin i'r ystafell ymolchi, yna tawelwch am eiliad, yna gwaedd a sŵn brasgamu gwyllt yn ôl i lawr i'r gegin.

'Be sy, Dad—isio i rywun ddod i rwbio'r llwch i ffwrdd oddi ar eich cefn chi, ia?' gofynnodd Gwenno'n ddireidus. 'Esgob, mae gynnoch chi dymer fel matsien, wir! Hi, hi,—fel matsien—dach chi wedi'i deall hi?'

Ar ôl tipyn o weiddi a ffraeo, a mam Gwenno'n gwneud ei gorau i dawelu'r dyfroedd, dywedodd ei thad wrthi,

'Reit 'ta madam, mae'n rhaid i ti ddod â ffeithia go-iawn i mi os wyt ti am i mi hyd yn oed ystyried rhoi'r gorau i 'smygu—nid plastro'r tŷ efo ryw bosteri a hen sgwennu gwirion arnyn nhw.'

'Wel, sori Dad, ond tase gen i gyfrifiadur, mi fasech chi wedi cael posteri tipyn crandiach,' dechreuodd Gwenno.

'Dyna ddigon o gynhyrfu'r dyfroedd am heddiw, Gwenno Williams,' meddai ei mam wrthi, gan dorri ar draws y ddau cyn i bethau ffrwydro go-iawn. 'Mi rwyt ti wedi taflu dy dad oddi ar ei echel hen ddigon am un diwrnod, diolch yn fawr iawn!'

Dyna pam roedd Gwenno'n treulio'i phnawn Sadwrn yn y llyfrgell. Roedd Dad wedi gofyn am ffeithiau, a ffeithiau oedd o'n mynd i'w cael. Roedd Gwenno wedi dod o hyd i sawl ffaith ddiddorol iawn yn y llyfrgell—ffeithiau oedd yn mynd i roi dipyn o sioc nid yn unig i'w thad, ond i'w mam hefyd!

6

Erbyn amser cinio dydd Sul, roedd Gwenno wedi casglu digon o ffeithiau ynglŷn â 'smygu i ddychryn ei thad.

'Cyn, 'ta ar ôl cinio ydach chi isio i mi ddangos y ffeithia 'ma i chi, Dad?' gofynnodd Gwenno iddo'n bwysig.

Cododd ei thad ei ben o'r papur newydd am funud,

'Y? Ffeithia am be rŵan 'to?' gofynnodd yn bigog.

'Wel, ffeithia am effaith 'smygu ar 'ych corff chi, siŵr iawn!' atebodd Gwenno yr un mor bigog.

'Pa mor hir fyddi di'n pregethu wrtha i'r tro yma, 'ta?' gofynnodd ei thad, gan danio sigarét yr un pryd.

'Wel, i gyflwyno'r holl ffeithiau'n ddigon eglur i suddo i mewn i'r pen llwch lli 'na s'gynnoch chi, mi gymrith tua hanner awr, mae'n siŵr,' meddai Gwenno'n awdurdodol.

'Cinio'n barod!' gwaeddodd mam Gwenno o'r gegin.

‘O, dyna ni. Bechod, mae cinio’n barod. Bydd raid i mi aros yn amyneddgar tan ar ôl cinio i glywed dy araith wefreiddiol di felly, yn bydd?’ meddai ei thad yn wawdlyd wrthi. Cododd ar ei draed, diffodd ei sigarét, a mynd i’r gegin i nôl cinio.

‘Rhieni—pwy sy isio nhw!’ bytheiriodd Gwenno o dan ei gwynt.

Doedd yna fawr o sgwrs rhwng y tri o amgylch y bwrdd cinio.

Llowciodd Gwenno ei bwyd a mynd i nôl ei phapurau.

'Reit, dach chi'n barod?' gofynnodd i'w rhieni, gan deimlo'n awyddus i gyflwyno'i gwaith ymchwil.

'Barod i be?' gofynnodd ei mam wrth godi'r llwyaid olaf o darten a chwstard i'w cheg.

'O, dim byd pwysig,' atebodd ei thad. 'Dim ond rhyw ffeithia gwirion mae'r hogan 'ma'n mwydro 'mhen i efo nhw,' ychwanegodd yn ddiamynedd.

Fflipiodd Gwenno'n llwyr.

'Ffeithia gwirion? Ffeithia gwirion, wir!' Roedd wyneb Gwenno ar dân. 'Wel, falla nad oes ots gynnoch chi 'ych bod chi'n lladd 'ych hun wrth 'smygu, ond *mae* gen i ots 'ych bod chi'n lladd Mam a finna hefyd efo'ch hen fwg chi. 'Drychwch ar y llunia 'ma!'

Sodrodd Gwenno ddau lun ar y bwrdd o'u blaenau, a dechreuodd egluro.

'Dyma i chi lun o 'sgyfaint rhywun iach sydd ddim wedi 'smygu erioed, a dyma i chi lun arall o 'sgyfaint sy ddim cweit mor iach.'

'Tydi 'sgyfaint yr un sy'n 'smygu ddim

mor ddrwg â hynny,' ceisiodd tad Gwenno ei berswadio'i hun.

'O dwn i ddim, Bob, mae golwg reit wael ar 'sgyfaint y 'smygwr yma,' meddai mam Gwenno'n ofidus.

'Pwy ddeudodd mai 'sgyfaint rhywun sy'n 'smygu ydi hwnna?' arthiodd Gwenno.

‘’Sgyfaint plentyn yn byw efo rhiant sy’n ’smygu ydi hwnna!’ ychwanegodd Gwenno’n filain.

Eisteddodd ei rhieni’n dawel a gwelw wrth y bwrdd. Doedd ganddyn nhw ddim ateb parod y tro hwn.

‘Pan fyddwch chi’ch dau wedi cael cyfle i ddod dros y sioc, mi gewch chi ddarllen y gwaith ’ma rydw i wedi’i baratoi. Dwi’n mynd allan am dipyn o awyr iach wir,’ ac i ffwrdd â Gwenno allan i’r ardd i gicio pêl. Roedd awydd cicio rhywbeth arni i gael gwared o’i thymer.

Wrthi’n pledu’r bêl yn erbyn y sièd yr oedd hi pan ddaeth ei thad allan o’r tŷ i chwilio amdani. Roedd golwg bryderus ar ei wyneb.

‘Gwenno, tyrd yma,’ meddai’n gadarn.

Am unwaith, ar ôl rhoi un gic galed arall i’r bêl, ufuddhaodd Gwenno. Gafaelodd ei thad yn ei hysgwyddau a dweud, ‘Gwenno, dwi’n *addo* ceisio rhoi’r gorau i ’smygu o dy flaen di a Mam.’

‘Tydi hynny ddim yn ddigon da, achos mi fyddwn ni’n dal yn anadlu’ch mwg chi yn y tŷ . . .’ dechreuodd Gwenno.

‘O’r gora,’ ildiodd ei thad. ‘Dwi’n addo peidio ’smygu yn y tŷ o leiaf, ac mi wna i fy ngorau glas i roi’r gorau iddi’n gyfan gwbwl yn fuan iawn. Ydi hynny’n dy blesio di?’

Gwenodd Gwenno’n annwyl ar ei thad.

‘O diolch, Dad,’ meddai wrtho a’i gofleidio’n dynn. ‘Wnewch chi ddim difaru.’

Ond er bod ei thad wedi addo rhoi’r gorau i ’smygu, gwyddai Gwenno y byddai’n rhaid iddi gadw llygad barcud arno o hyn allan i wneud yn siŵr ei fod yn cadw at ei air.

7

Roedd Gwenno'n amau fod ei thad yn dal i 'smygu ar y slei. Gallai glywed yr oglau mwg ar ei ddillad a'r oglau fferins mint ar ei anadl. Ei esboniad ef oedd ei fod yn bwyta mwy o fferins rŵan yn lle 'smygu, a'i fod yn llosgi sbarion coed yn yr ardd er mwyn cadw'i sièd yn daclus. Byddai'n cloi ei sièd o hyd rŵan hefyd. 'Rhag ofn i rywun ddwyn y cwpwrdd rydw i'n gweithio arno,' oedd ei reswm. Ond doedd Gwenno ddim yn ei gredu. Roedd hi'n sicr fod ei thad yn cloi'r sièd am ei fod yn 'smygu ac yn cuddio'i sigarennau yno.

Y dydd Sadwrn canlynol, daeth Lowri draw i chwarae efo hi.

'Beth am fynd am dro i'r goedwig i hel concyrs?' meddai Gwenno'n llawn cynnwrf.

'O, ia, am syniad da,' cytunodd Lowri. 'Mi ddangoswn ni i'r hen fechgyn na'n yr ysgol be 'di concyrs! Glywest ti Owain Huws yn deud y diwrnod o'r blaen mai dim ond hogia oedd yn gallu chwara concyrs go-iawn, am nad ydi merched yn gallu dringo'n ddigon uchel i fyny'r coed i gael gafael ar y concyrs gora!'

'Be! Mi ddudodd o hynna? Wel am ddigywilydd. Pam na faset ti wedi deud hynny wrtha i ynghynt?' meddai Gwenno wedi'i chynddeiriogi. 'Mi ddangoswn ni iddyn nhw pwy sy'n gallu dringo coed a chasglu wopars o goncyrs!'

'Ddowch chi efo ni i hel concyrs, Dad?' gofynnodd Gwenno.

'Na, ddim heddiw cariad, dwi'n . . .' dechreuodd ei thad ei hateb.

'Brysur yn y sièd,' dynwaredodd Gwenno ei thad, 'Ooo! Plîs Dadi,' meddai wedyn, yn ei llais 'plentyn bach wedi'i ddifetha'.

'Na wir, Gwenno, dwi bron iawn â gorffen y dodrefnyn yma rŵan. Does ond angen 'chydig o farnais arno fo ac mi fydd o'n barod,' eglurodd ei thad.

'Hy! Mae'n siŵr y byddwch chi'n rhy brysur i ddod i 'mharti pen-blwydd i wythnos nesa hefyd, m'wn. Tyrd Lowri, mi awn ni ar ben ein hunain bach,' meddai Gwenno, ac i ffwrdd â nhw efo clamp o fasged a oedd bron cymaint â'r ddwy ohonyn nhw i ddal y concyrs.

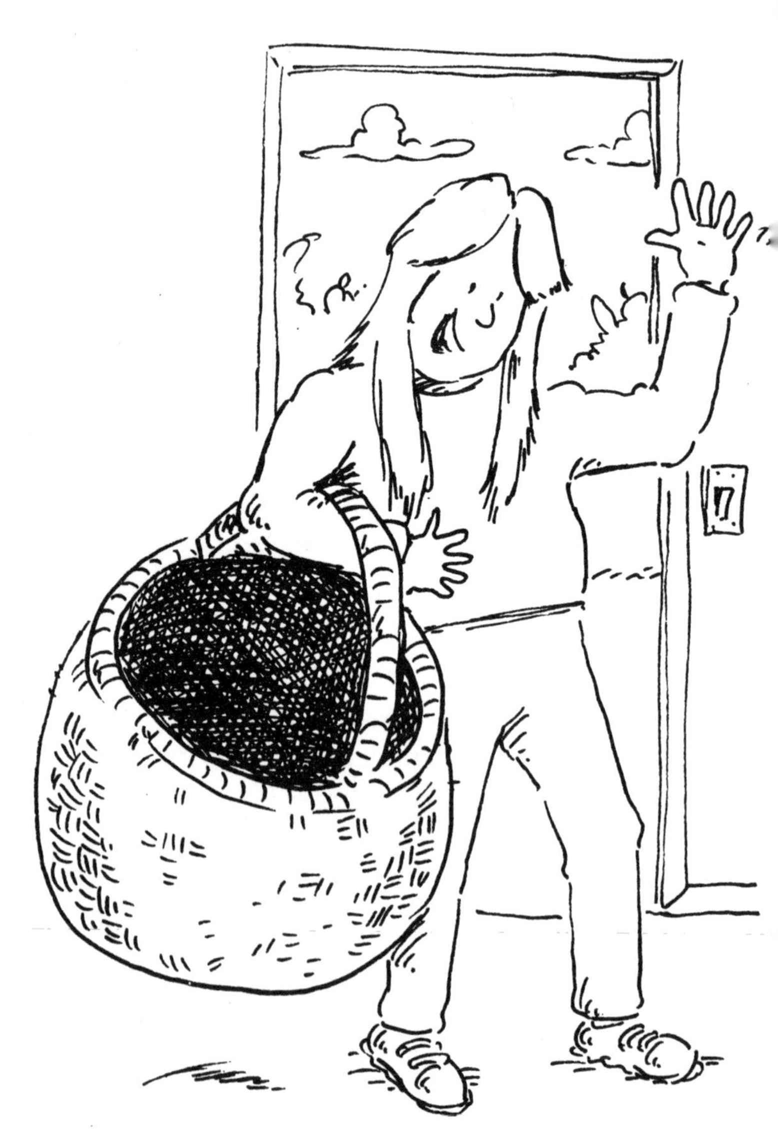

Roedd y ddwy wrth eu boddau'n chwarae cuddio yn y goedwig oedd i lawr y ffordd o dŷ Gwenno.

'Ew, 'drycha ar y concyrs anferthol sy ar y goeden yma!' meddai Lowri a'i llygaid yn fawr fel soseri.

'Argol, ma' nhw gymaint â thatws!' cytunodd Gwenno, gan geisio estyn amdanynt.

'Go drapia, dwi'n rhy fyr i'w cyrraedd nhw,' meddai Lowri.

'A finna hefyd,' gofidiai Gwenno.

'Tyrd i sefyll ar ben f'ysgwydda i, 'ta,' meddai Lowri. A dyna lle bu'r ddwy'n stryffaglio wrth geisio cyrraedd y concyrs. Roedd coesau Lowri'n gam ac yn simsanu o dan bwysau Gwenno, a oedd yn tynnu â'i holl nerth mewn clamp o goncyr. Yn sydyn, daeth i ffwrdd yn ei llaw a syrthiodd y ddwy ffrind ar eu penolau i ganol y dail ar y llawr.

'Ti'n iawn, Gwenno?'

'Ydw, a chditha?'

Chwarddodd y ddwy a dechrau lluchio dail crin ar bennau'i gilydd.

‘Dwi am ddringo’r goeden yma i gyrraedd y concyrs mawr ’na sy’n fan’cw,’ meddai Lowri toc, a’r dail fel coron yn ei gwallt.

‘Ew ia, lluchia di nhw i lawr ac mi ddalia i nhw yn y fasged,’ meddai Gwenno.

Un dda oedd Lowri am ddringo coed, ac i fyny â hi fel gwiwer fach. Cydiodd mewn clamp o goncyr a'i lluchio i'r awyr.

'Dalia hon, 'ta!' gwaeddodd ar Gwenno. Rhedodd Gwenno gan ddal y goncyr yn y fasged.

'Hwrê, un i mi. Reit, tafla un arall rŵan,' meddai Gwenno.

'Hwrê, un yr un rŵan,' meddai Lowri wrth i Gwenno fethu dal y goncyr nesaf yn ei basged. Ac felly y bu'r ddwy'n chwarae am sbel nes roedd Lowri wedi dringo i ben ucha'r goeden gastanwydden ac wedi'i dadwisgo o'i choncyrs i gyd.

'Reit, mae gynnon ni fwy na digon o goncyrs i guro'r bechgyn yn yr ysgol i gyd rŵan,' meddai Gwenno'n fodlon wrth edrych ar y fasged yn gorlifo o goncyrs yn eu plisg clapiog gwyrdd. 'Gei di ddod i lawr rŵan, Lows,' ychwanegodd yn hapus.

'Gei di ddod i lawr rŵan, Lows,' gwaeddodd Gwenno eto.

'Ym, fedra i ddim,' meddai Lowri'n betrusgar. 'Dwi'n sownd.'

'Be ti'n feddwl, "sownd"?' gofynnodd Gwenno.

'Dwi'n sownd! Fedra i ddim dod i lawr. Mae'r gangen agosa ata i wedi torri a fedra i ddim cyrraedd yr un nesa wedyn,' meddai Lowri.

'O, paid â malu awyr rŵan, Lowri,' meddai Gwenno'n chwareus, gan feddwl

fod Lowri'n chwarae gêm. 'Un ddrwg wyt ti am dynnu coes, Lowri Roberts.'

'Faint o weithia sy'n rhaid i mi ddweud wrthot ti—DWI'N SOWND—FEDRA I DDIM DOD I LAWR!' gwaeddodd Lowri, gan ddechrau colli amynedd efo Gwenno am beidio â'i choelio hi.

‘Wel . . . neidia ’ta!’ awgrymodd Gwenno.

‘Paid â bod yn wirion—mae’n rhy uchel. Mi dorra i ’nghoes os gwna i hynny, yr hen het wirion i ti,’ gwaeddodd Lowri.

‘Mi ddalia i di yn y fasged ’ma yli,’ meddai Gwenno eto’n chwareus.

‘Gwenno Williams, tydi hyn ddim yn ddigri—**dwi’n sownd** . . . Waaa!’ Dechreuodd y gangen yr oedd Lowri’n ei chofleidio siglo wrth iddi geisio rhoi ar ddeall i Gwenno ei bod hi’n sownd go-iawn yn y goeden, ac nad tynnu ei choes yr oedd hi.

‘Ti’n styc go-iawn yn dwyt?’ meddai Gwenno, gan sylweddoli’n sydyn fod Lowri mewn perygl.

‘Yndw-y!’ gwaeddodd Lowri’n ddiamynedd. ‘A dwi wedi brifo ’mraich rŵan hefyd.’ Dechreuodd Lowri grio. ‘Dos i nôl dy dad neu rywun i ’nghael i i lawr o’r bali coeden ’ma. Brysia! Hel dy draed!’

‘Reit, mi a’ i i nôl Dad . . . a rhaid i ni gael ysgol hefyd. Paid â mynd i nunlla—mi fydda i’n ôl yn y munud, reit!’ gwaeddodd Gwenno.

‘Sut fedra i fynd o ’ma, y g’loman wirion, a finna’n sownd? Dos i nôl help—ar unwaith!’ erfyniodd Lowri.

‘Reit, dwi’n mynd rŵan. Edrycha ar ôl y fasged ’ma i mi, iawn?’ meddai Gwenno. Yna sylweddolodd, ‘O na, fedri di ddim yn na fedri, achos rwyt ti’n sownd i fyny’n fan’na ac mae’r rhain i lawr yn fan hyn . . .’

‘Jyst dos!’ gwaeddodd Lowri. ‘Brysia, dwi’n dechra colli ’ngafael—mi syrthia i os na heli di dy draed!’

Ac i ffwrdd â Gwenno fel cwningen nerth ei choesau bach byrion i nôl ei thad i achub Lowri.

8

'Dad, Dad, brysiwch!' Dechreuodd Gwenno weiddi ar ei thad cyn cyrraedd giât yr ardd hyd yn oed.

'Damia!' meddai tad Gwenno wrth ei chlywed yn agosáu. 'Well imi gael gwared o hon reit sydyn,' meddai gan luchio'i sigarét a'i sathru o dan y bwrdd llifio,

‘a chuddio hwn hefyd,’ meddai wedyn, gan daflu hen flanced dros y dodrefnyn.

Rhuthrodd Gwenno i mewn i’r sièd â’i gwynt yn ei dwrn,

‘Mae Lowri’n sownd ar ben coeden, ac mae hi ’di brifo’i braich! Brysiwch, brysiwch—dowch â’r ysgol ’na efo chi. Does ’na ddim eiliad i’w sbario!’ gwaeddodd Gwenno’n gynhyrfus.

‘Ydi hi wedi brifo’n arw?’ gofynnodd ei thad yn bryderus, gan estyn yr ysgol.

‘Nach’di, ddim eto, ond mi fydd hi os na frysiwn ni. Dowch!’ meddai Gwenno’n llawn panig, gan ddychmygu Lowri’n hongian gerfydd rhyw frigyn tila o’r goeden gastanwydden.

Rhedodd y ddau gan gario’r ysgol i lawr am y goedwig.

‘Brysiwch, Dad!’ gwaeddodd Gwenno, gan redeg yn ddiamynedd o flaen ei thad. Roedd hwnnw’n tuchan ac yn stryffaglio i redeg a chario’r ysgol yr un pryd.

O’r diwedd, daethant at y goeden lle’r oedd Lowri’n dal ei gafael yn y gangen.

'Esgob, 'sgynnoch chi ddim syniad pa mor falch ydw i o'ch gweld chi!' meddai Lowri wrth i dad Gwenno estyn yr ysgol i'w hymyl.

'Fedri di . . . ddod i lawr hon . . . dy hun . . . neu wyt ti . . . am i mi . . . ddod i fyny . . . i dy nôl di?' gofynnodd tad Gwenno i Lowri, gan frwydro am ei anadl.

'Na, mi fydda i'n iawn rŵan dwi'n meddwl, diolch,' atebodd Lowri gan gamu'n ofalus i lawr yr ysgol.

'Wyt ti'n iawn, Lows?' gofynnodd Gwenno'n annwyl i'w ffrind, gan roi ei braich am ei hysgwydd.

'Yndw, dwi'n meddwl, ond mae 'mraich i'n brifo,' atebodd Lowri gan ddangos y crafiad a gafodd pan siglodd y gangen oddi tani.

''Chydig o *Dettol* arno fo ac mi fyddi di'n iawn,' meddai tad Gwenno gan edrych ar y briw ar fraich Lowri. Dyna oedd ei ateb o i bopeth: 'rho 'chydig o *Dettol* arno fo'—hyd yn oed at gur pen! 'Argian fawr! Chi'ch dwy sy wedi bod yn hel y concyrs

’ma i gyd?’ meddai wrth weld y fasged yn llawn i’r ymylon.

‘Ia,’ meddai’r ddwy fel un.

‘’Dan ni ’di bod yn brysur!’ meddai Gwenno, gan sythu’n falch fel paun.

‘Mae ’na olwg felly arnoch chi hefyd,’ meddai ei thad wrth weld y llanast oedd ar y ddwy, a’u dillad yn faw ac yn ddail drostynt. ‘Well i mi fynd â’r ddwy ohonoch chi adre er mwyn i chi gael ’molchi cyn i’ch mama’ ’ych gweld chi yn y fath stad, wir!’ ychwanegodd, ac i ffwrdd â nhw—Gwenno’n cario’r fasged, ei thad yn cario’r ysgol a Lowri’n mwytho’i braich.

Wrth nesáu am y tŷ gallent weld mwg yn dod o gyfeiriad yr ardd.

‘Tân, tân!’ gwaeddai mam Gwenno nerth ei phen arnyn nhw. Rhedodd y tri nerth eu traed am yr ardd a gweld y sièd bren yn wenfflam.

‘Wela i,’ meddai’r Swyddog Tân. ‘Mae’n edrych yn debyg mai chi roddodd y sièd ar dân felly, Mr Williams.’

‘Y fi? Ond sut?’ gofynnodd tad Gwenno’n ddryslyd.

‘Wel, mi sathroch chi’ch sigarét o dan y bwrdd llifio meddech chi, yn do?’meddai’r swyddog.

‘Do,’ atebodd tad Gwenno’n araf.

‘Ac mi ddiffoddodd y sigarét yn iawn, do?’ gofynnodd y swyddog eto.

‘O . . . dwi ddim yn gwybod,’ atebodd tad Gwenno gan sylweddoli beth roedd wedi’i wneud. ‘O na, y blincin sigarét ’na ddechreuodd y tân! O na, alla i ddim credu

’mod i wedi rhoi fy sièd fy hun ar dân, a llosgi’r cyfan, a finnau bron â gorffen y ddesg bren ’na!’

‘Pa ddesg bren?’ Roedd Gwenno’n gwrando’n astud. Roedd hi wedi bod yn swnian ers amser am gael desg bren yn bresant pen-blwydd byth ers i Siôn Corn ‘anghofio’ dod ag un iddi hi yn bresant Nadolig.

‘Y ddesg roedd dy dad wedi bod yn ei gneud yn arbennig i ti ers wythnosau ar gyfer dy ben-blwydd di’r wythnos nesa,’ eglurodd ei mam yn drist.

‘O, na!’ meddai Gwenno, gan deimlo’n hanner hapus am fod ei thad wedi gwneud desg yn bresant arbennig iddi erbyn ei phen-blwydd, ond yn drist go-iawn ei bod wedi llosgi’n ulw.

‘Paid â dweud dim! Jyst paid â dweud dim!’ dywedodd ei thad yn benderfynol. ‘Dwi’n mynd i roi’r gorau i ’smygu am byth, Gwenno. Tydw i ddim eisiau gweld sigarét byth eto yn fy myw,’ a thynnodd baced o sigarennau allan o’i boced a’i daflu at weddillion y sièd i losgi. ‘Y tro yma dwi’n ei feddwl o.’

‘O Dad bach,’ meddai Gwenno’n llawn cariad. ‘Dyna’r presant pen-blwydd gorau y gallsech chi ei roi i mi—y chi’n addo rhoi’r gorau i ’smygu am byth! Dim ots am y ddesg, Dad; wedi’r cyfan, mae gen i fwrdd a phensel wnaiff y tro am rŵan.’ Roedd Gwenno ar ben ei digon ac yn edrych ymlaen yn arw at ei phen-blwydd a chael byw mewn tŷ di-fwg o hyn allan.

Yna petrusodd Gwenno am funud gan edrych ar weddillion y sièd. 'Da-ad? Doedd fy nghyfrifiadur newydd i ddim yn y sièd 'na hefyd, oedd o . . ?'

CYFRES CORRYN

23489 Gwilym Dyfri Jones
Bechgyn yw'r Gore Elgan Philip Davies
Bonso Emily Huws
Bwrw Swyn Irma Chilton
Cariad Miss Elgan Philip Davies
Castell Norman Siân Lewis
Cyfrinach Afon Ddu Eirlys Gruffydd
Cyfrinach Betsan Morgan Gwenno Hywyn
Cynffon Anti Meg Ray Evans
Cynllwyn Caerallt Jacqueline Pinto addas. Juli Paschalis
Chwannen Emily Huws
Dim Ond Merched Elgan Philip Davies
Dirgelwch y Dieithryn Elgan Philip Davies
Diwedd y Gân Anne Forsyth addas. Mair Jones Parry
Diwrnod Tan Gamp? Dick Cate addas. Gruff Roberts
'D.P.B. Un yn Galw!' Urien Wiliam
Er Mwyn Benja Gwenno Hywyn
Eurog Irma Chilton
Fi Bia Smotyn Irma Chilton
Helynt y Fideo Richard Dennant addas. Gwenno Hywyn
Hafan Fach am Byth! Gwenno Hywyn
Jaff Irma Chilton
Jetsam Alys Jones
Loti Meinir Pierce Jones
Mac Pync Alys Jones
Manuel Joan Smith addas. Dilwen M. Evans
Math a'r Fôr Forwyn Christina Green addas. Meinir Pierce Jones
Merch y Pennaeth Rosemary Sutcliffe addas. Gwenan Jones
Nain ar Goll! Nance Donkin addas. Elwyn Ashford Jones
O! Mae Mam yn Flin Haf Llewelyn
Parti Da! Irma Chilton
Proffesor Pwyna! Margiad Roberts
Sbectol am Byth! Agnes Szudek addas. Delyth Lewis
Steddfod Syr Elgan Philip Davies

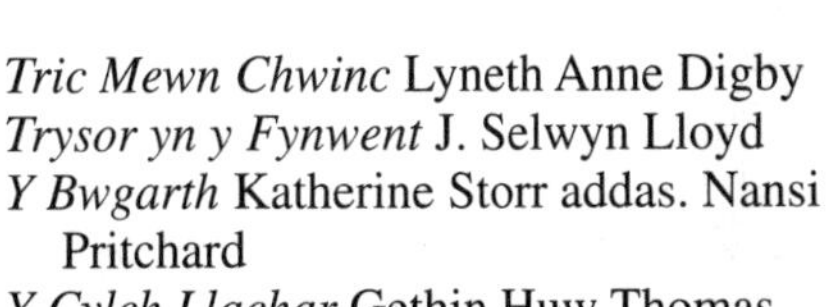

Tric Mewn Chwinc Lyneth Anne Digby
Trysor yn y Fynwent J. Selwyn Lloyd
Y Bwgarth Katherine Storr addas. Nansi Pritchard
Y Cylch Llachar Gethin Huw Thomas
Y Gwylwyr Catherine Sefton addas. Siân Teifi
Y Peiriant Amser Irma Chilton
Yr Arwr Cwta Siân Lewis
Yr Ysbryd Arian Alys Jones

Y TEITLAU DIWEDDARAF

Celwyddgi! Hazel Townson addas. Tegwen Hughes
Cyw Hyll, Annie Dalton addas. Gwenno Hughes
Bywyd i'r Bobol! Tony Husband addas. Meinir Pritchard
Dilo Horace Dobbs addas. Gordon Jones
Y Tri Diemwnt Jenny Alexander addas. Siân Lewis
Trwco Robert Leeson addas. Hefin Jones
Jean ar y Sgrin Gordon Jones

CELWYDDGI!

CYFRES CORRYN
HAZEL TOWNSON
ADDASIAD
Ann Tegwen Hughes

CYW HYLL
ANNIE DALTON
ADDASIAD
Gwenno Hughes

BYWYD I'R BOBOL!
TONY HUSBAND
DAVID WOOD
ADDASIAD Meinir Pritchard

DILO
CYFRES CORRYN
HORACE DOBBS
ADDASIAD
Gordon Jones

Y TRI DIEMWNT
CYFRES CORRYN
JENNY ALEXANDER
ADDASIAD Siân Lewis

TRWCO
CYFRES CORRYN
ROBERT LEESON
ADDASIAD Hefin Jones

JEAN AR Y SGRIN

GORDON JONES